나는 밤마다 대지로 가라앉는
깊은 어둠이 되고

나는 밤마다 대지로 가라앉는 깊은 어둠이 되고

발 행 | 2023년 09월 20일
저 자 | 손지우
펴낸이 | 한건희
펴낸곳 | 주식회사 부크크
출판사등록 | 2014.07.15.(제2014-16호)
주 소 | 서울특별시 금천구 가산디지털1로 119 SK트윈타워 A동 305호
전 화 | 1670-8316
이메일 | info@bookk.co.kr

ISBN | 979-11-410-4484-8

www.bookk.co.kr

나는 밤마다 대지로 가라앉는 깊은 어둠이 되고

손지우 지음

목차

중심에 닿다.

작가소개

손지우

책을 읽고 글을 쓰는 일이 좋아 마음에 무언가 떠오를 때마다 종이에 언어로 가득 채우고 있습니다. 나의 사적 마음의 바다에서 떠올린 것들이 어쩌면 누군가 한 번쯤 떠올린 적이 있는 물고기가 아닐까 생각하곤 합니다. 마음이란 바다를 자유롭게 돌아다니는 물고기들을 종종 건져 올려 언어로 살펴보고 나면 다시 조심스럽게 놓아줍니다. 내가 놓아 준 물고기가 언젠가 또 다른 누군가의 마음 끝에 닿기를 기대하면서.

아동문학 <사라진 부모님을 찾아서> 출간 이력이 있습니다.

블로그 : https://blog.naver.com/grovegreendiary
이메일 : hmson0718@naver.com

타인을 향한 그리움이 나를 향할 때,
호소는 씨앗처럼 어둠으로 침잠하고
대지는 양분으로 나를 다시 키워냅니다.

물결처럼 내려앉아

밤비

물에서 태어나
그리운 밤.

끊임없이
하늘과 땅의 충돌 소리가
탄생을 기억하며 생의 선율을 만듭니다.

그리움과 상이
반복되면

떠올라 그리운 건지
그리워 떠오른 건지

순서를 매길 수 없던 나날들.

오로지 나의 경험치 안에서만 유한했던
삶의 몽매함 사이로
창밖의 비가 스며듭니다.

비는 물이 되고

물은 그리움이 되어
수많은 탄생을 기억하고

탄생이 그리운 이유는
시간의 반대편에 존재하는
죽음을 떠올리게 하기 때문인지.

물 위에 누워,
시작 이전의 순수한 가능성의 세계로
돌아가고 싶은 것을 보면

엄마 품에 안겨 칭얼대던
어린 시절 나보다
별반 자란 게 없나 봅니다.

달이 뜨면

안녕?
달이 뜨면 문자 하겠다던
너의 약속을 기억해.

지금 여기는
바람이 아주 차가워.

덕분에 맑은 하늘은
가림없이 달빛에 번져가.

벌써 여든 한 밤째 달은 뜨고,
다섯 번의 차고 기울음이 지났어.

수를 세고 셈을 하는 건 어쩌면
그리움에 기원하고 있는지도 몰라.

하루가 지날 때마다 마음속 유리잔에
동그란 물방울을 채워가.

가끔 마음이 흔들릴 때면 물방울들이 차고 넘쳐

마음을 적시곤 해.

원래 물에 젖으면
마를 때까지 시간이 걸리잖아.

더 이상 난 흔들리지 않는데,
흘러넘친 물이 방울방울 자국을 남겨놔서 온종일,
젖은 수건처럼 무거워질 때가 있어.

그럴 때면 물방울에 채워져 있던 추억들이
눈앞에서 톡톡 터져 나와.

오늘도 선명하게 달이 떴어.

내방 창문 아래서는 여린 이파리 한 장이
또다시 떨어지고 있어.

혹시 너는 어때?

야간 비행

인간이 만든 불빛이 사라진 자리에
자연의 불빛이 파고들면
나는 지나가는 한 마리 새의 날개 위로
마음을 띄웁니다.

올라탄 마음은
깊게 잠든 도시를 아래 두고
활짝 핀 보름달과
여행 온 별빛을 지나갑니다.

바람결을 따르는 비행이
묶인 마음을 다시 흐르게 하면,
자연스럽게 목적지는
반딧불이가 안내하는 숲이 되고.

마녀와 괴물과 어떤 버려진 것들이
차례차례 수풀 사이에서 발견되면
잊혀졌던 것들 속에서 오히려
생명력을 되찾아옵니다.

어느 오두막 지기의 생각이 깊어지는 만큼
밤의 눈동자는 점점 더 가늠할 수 없어지고,
그 속에 뛰어노는 맑은 물고기들은
대부분 이름이 없습니다.

부르면 사라지는 찬란한 역동성이
잠든 호수에서부터 붙여지면
새가 물고 온 편지는
잠든 나의 방에 꿈결처럼 고이 전해집니다.

미래는 언제나 환상이죠

까만 바다.
흘러가는 잔물결.

내리는 별빛이 보고 싶다면
푸른 먹지 위 은빛 전구를 켜세요.

스위치는 언제나 텅 빈 그곳에.

뱃머리는 신경 쓰지 말아요.
의미 있어 보인다면, 환상인 거죠.

방향은 잡으려 할수록 오히려,
내 마음을 뾰족이 찌를 거예요.

부드러운 바람
내 볼 스치면,

그때 그저 아시면 돼요.
내 소망이 바람 타고
되돌아 왔다고.

둥근 달.
만유인력.

아름다운 노랫말이 듣고 싶다면
파도의 오선지에 스피커를 켜세요.

스위치는 언제나 텅 빈 그곳에.

닻은 내리지 말아요.
의미 있어 보인다면, 환상인 거죠.

바다는 너무 깊어 오히려,
내 마음을 한없이 가라앉힐 거예요.

부드러운 바람
내 볼 스치면,

난 그저
순간의 물결에 앉아
바람 타고 흐르면 되죠.

모래시계

작게 떨어지는 모래 소리가
최면의 불꽃처럼 서두를 열고

내 유리 안에는 까만 모래라
시간의 동그라미 블랙홀처럼
검게 커져 갑니다.

고요한 정적은 기억의 매듭
엉성히 풀어가는
나만의 시간.

그러면 나는
자발적으로 유리병에 갇힌 채
그 위에 앉아

하염없이 하강하는
침묵의 나선.

초침에 갇혀있던 시간은
만유인력 법칙을 따라

자연으로 돌아가고,

부드러운 모래 위
몸을 뉘어보니 생각나는
어린 시절 그 바닷가.

토닥토닥 고운 모래 덮어주던 손길은
먼 길 찾아 헤맨 나만의 위로.

좁아지는 기억의 입구에
그 끝을 붙잡아보지만

하염없이 하강하는
침묵의 나선.

고요의 정적은
기억의 파편에
균열을 일으키고,

작게 떨어지는 모래 소리가
엔딩 크레딧처럼 환상을 깨우면

내 유리 안에 갇힌
검게 덮인 기억의 언덕은
오래된 무덤처럼 조용히 침묵합니다.

스러져가는 것들에 대하여.

아득히 먼 시간 속에서부터
천천히 빛을 뿌리고,
남은 조각들만
이곳에 놓여있습니다.

바랜 표면 위에 쌓인 먼지는
지나가 버린 시간 대신 내려앉아,
사라지는 것들이 남기고 간 공허함을
가만히 위로합니다.

이미 과거로 밀려나 버린,
현재가 아닌 것들을 생각하면
그리워지는 이유는,

어쩌면 그것이
미래의 나의 소실을
일깨우기 때문인지도 모르겠습니다.

종말에 대한 두려움을 벗어나지 못한 인간은
언제나 끊어진 온기를 붙잡으려

잊혀짐을 애도하지만

맑은 구슬 위로 잠깐 스친
깃털 같은 우리 삶의 본질은
철근과 콘크리트보다는
지나간 모든 것들이 남기고 간
고운 모래로 유지되기에

새로운 생명을 재생시키는 언덕 위로
나 또한 작은 조각들을 남기며
사라지는 동시에
지구로 탄생하는 중임을
잊지 말아야겠습니다.

그리움

언어를 직조하는 일이
직녀의 그리움을 닮아갈 때
글은 은하수가 됩니다.

사실
그리움은 슬픔을 닮아

한 번 압축하면 그림으로,
두 번 압축하면 글로

응어리지고.

응어리 된 감정은
흘러가지 못하고
남는 법이니

떠나보내야만 하고
잊지 못하는 것은
너무도 가혹한 벌입니다.

인간은 도대체 어떤 죄를 지었길래.

난 슬픔이 싫어 도망쳤습니다.

양면의 색이 다른 색종이를 뒤집듯
죄를 외면해 버리면
밝은 세계에 속할 줄 알았는데

그럼에도 본질은
인간은 등이 검은 색종이일 뿐입니다.

지금도 까마귀 떼를 불러오듯
글을 쓰고 있는 난
여전히 그리움의 감옥 안에 있습니다.

인어

한 아이가 있습니다.
아이는 두 발로 성큼성큼 걷습니다.

네 발로 걷는 동물들보다 조금 나은 점은
하늘 보기가 90도 정도 더 수월하다는 점입니다.

종으로는 꿈이 자라나고
횡으로는 나아가는 속도가 더디어집니다.

자라난 높이만큼 발끝부터 수위가 불어납니다.

희미한 연기 같던 꿈이 달빛이 되어 내리는데
바다로 뒤덮인 아이는 숨이 막힙니다.

온몸이 돌덩이처럼 검게 깊이 모를 바다에 가라앉았습니다.

'달을 사랑하니?'
마녀의 목소리가 귓가에 속삭입니다.

달콤한 제안을 받아들인 아이는 어느 순간

두 다리마저 사라지고 은색 비늘이 자라납니다.

다리를 주고 얻어 온 언어가 아가미가 되었습니다.

사실 아이는 달의 표면까지 헤엄친 뒤
언어를 주고 다리를 되찾을 예정이었습니다.

그런데 심심했던 마녀가 두 번째 소원을 들어주지 않자 아이는,
달 주위를 빙글빙글 헤엄쳐 다니는 영원한
언어가 되고 말았습니다.

오두막

나의 오두막으로 오세요
당신의 이야기를 켜켜이 쌓아둔
아무도 돌아보지 않는

길은 오래된 과거와 닿아
곳간에는 양식이 마를 날이 없어요.

노선이 하나뿐인 마차는
꼼꼼히 포장된 잘 익은 추억을
어김없이 실어나르고

비밀을 지키는 대가로
남몰래 키운 석류 한 알을 건네면
모자를 눌러쓴 마부는 말없이
외길을 돌아갑니다.

늙지 않는 노쇠한 말이
마부가 건네는 시간을 먹고
과거의 죽음을 연장한 나는
또다시 석류나무에 물을 줍니다.

달밖에 뜨지 않는 언덕에
지저귀는 새들이 소문을 실어나르면
온데간데없는 지금을 찾아내 장작불에 태워

미래는 소실되고
새들은 새까만 재로 사라져요.

나의 오두막으로 오세요
오래된 상실을 마주한
현재를 태워 남긴 나의,

오두막으로 오세요.

박제

닿지 못한 마음은
깜빡 잊은 사과처럼

나무 박스에
덩그러니 남았습니다.

재배가 끝난 과수원에는
하얀 서리만 쌓여가고

마음은 차갑게 식어
선택을 기다립니다.

망각을 몰고 온
까마귀의 눈동자가

기억을 부패시킬
주문을 외우는 동안

나는 화학자로부터 얻은
포르말린병을 들고

몰래
서성이고

처분하지 못한 욕심이
자연의 시간을 거스를 때

박제된 사과가
귀퉁이에 전시되니

나는 유일한 신도가 되어
기억을 숭배합니다.

영영 시들지 않는 붉은 빛이
자연의 섭리를 튕겨내면

희미해진 나의 육체는
두 배로 빨리 늙어가고

소용돌이치며 빨려 들어가는
일그러진 삶의 궤적에

영원히 타오르는 불길로
나는 재가 되어

덩그러니 남겨진
미련한
마음만 남습니다.

그런 밤

창문은
짙은 암막 커튼처럼
깊게 내려앉아 있습니다.

고립된 듯 방안은
조용하기만 합니다.

외딴 섬과 연결되기 위해
빛바랜 수화기를 집어 듭니다.

수화기 너머로
먼지 쌓인 과거의 웃음소리가
지직거리며 들려 옵니다.

미래는 멀고
과거는 가까운 것 같아서

흐릿한 목소리에도
마음은 차분히 가라앉습니다.

미래를 바라보며 가는 일이
허망하게 느껴질 때면

시간을 되짚어봅니다.

동굴을 지날 때는
되돌아보아서는 안 된다지만,

지나온 시간이
사라지는 것이 아니라면
다시 주워와 주춧돌로 쓰겠습니다.

달리는 기차 안에서도
나는 방을 갖습니다.

스스로가 만든 정육면체 구조물 안에 들어와 있으면
움직임도 관성에 의해 정지한 듯 느껴지고,

변화를 따라가면서도
수화기 너머
나를 잊지 않기로 다짐합니다.

등껍질 속으로 숨어버린 거북이 같은
그런 밤입니다.

아직 흐릿한 달빛은 말없이
암막 커튼 표면을 쓰다듬습니다.

별의 척도

흐르는 시간 속
아득히 멀어지는 별 하나.

나는 언제나 네모난 방 속에서
창을 통해 그것을 바라봅니다.

귀뚜라미 시끄럽게 울던 밤.
호흡 한 숨 내뱉을 공간이 없어

불어내 본 풍선이
붉게 사선으로 올라갑니다.

희미해지는 별 하나 쫓아
작아지는 동그라미

깨닫는 것은 여전히
상자 속에 갇혀있는
존재의 감각입니다.

별과 상자 사이 사선 거리만큼

소망의 척도는 길어지고.

그럼에도 하늘을 향해
갈고리를 쏘아 올리지 않는 이유는

땅으로 떨어질 유성을 위해
내가 할 일은 단지

닫힌 문을 여는 것이기 때문입니다.

초하룻밤의 나열

한 줌의 빛만 남은 밤이
무겁게 가라앉습니다.

빛을 쥔 손바닥에는
온기가 번집니다.

무거운 공기 위로
겹치는 옅은 바람이

태초의 시작을 기억하게 합니다.

손등을 간질이는 바람에
손바닥을 폅니다.

빛은 순식간에 달아나
먼 곳에서 별이 되어 비춥니다.

식어가는 손바닥이 차가운데도
별빛에 반짝이는 이파리는 일렁입니다.

어쩌면 후련한 밤일지도 모르겠습니다.

눈을 감은 밤이 곧
끝날 것 같습니다.

언젠가 눈을 뜬 적이 있었던 것처럼
새벽안개 사이로 기시감이 느껴집니다.

파고들어

시작 괴담

한 아이가 보라색 점을 갖고 태어났습니다.
사람을 그릴 때 자꾸만 보라색 크레파스를 들길래
엄마는 매번 살색 크레파스로 바꿔주어야 했습니다.
점은 자주 간지러웠는데,
긁으면 아주 무서운 일이 일어날 거라고,
피가 나서 되돌릴 수 없는 흉이 생길 거라고
엄마는 아이에게 늘 충고했습니다.

학교와, 학교와, 학교가 수여한 졸업장에는
살색 가죽이 함께 들어있었습니다.
입을수록 두꺼워지는 피부 덕에
더 이상 간지럽지 않았습니다.

피부가 두꺼워지자 채찍에 휘둘리는 말처럼
다음으로 이동하니,
키보드 치는 소리, 유리잔 옮기는 소리,
시스템, 시스템 주문 소리…….
전원 버튼 누르면 커다란 본체 안에서 돌아가는 휠처럼,
윙윙대는…….

밖은 나뭇잎이 사정없이 흔들리는,
바람이 지배한 세계랍니다.
학교에서부터 이어져 온 괴담이
건물 비밀 통로를 통해 전해지고 있습니다.
괴담의 끝은 언제나 벽에 감사해야 한다고.
아이는 살을 부비며 어느 쪽이 괴담인지 헷갈려
창문에 감사하다고.

어느 날 자리 하나가 비었다는 소문이 돌았습니다.
모두 자리 주인을 기억하지 못해
새 주인이 오자 똑같아 졌습다.
그 대신 밤마다 펜 긁는 소리와 함께
살색 살점들이 발견된다는,
비밀 통로를 휘도는 괴담 하나가 추가되었습니다.

그날 이후 창문에는 종종
보라색 피부를 가진 생명체가 출몰하기 시작했습니다.

?

물음표는 갈고리 모양.
왜?가 많아질수록 나의 몸은
물음표가 되어간다.

한의사 선생님께서 침을 맞으라고 하신다.
병인 줄 모르고 그냥 나와버리려다 멈춰 선다.

누군가 의미심장한 얘기를 하면
고리 끝이 뾰족해진다.
화자의 마음속 바닥까지 들어가 보려다 괜히
우울해진다.

안 좋은 걸 발견하면
그 옆에 안 좋은 걸,
그 옆에 또 안 좋은 걸 건다.

길어진 거북목에
자꾸만 공기 중 떠다니는
덩어리가 걸린다.

생각이 뭉쳐있으니 함정에 빠질 수밖에.

선생님, 저 궁금한 게 있는데요.
사람은 착해야 하나요?
어린 시절 책들은 나쁜 아이를 혼내는데,

죽여도 자꾸만 살아나는 까만 날개를 단 생명체가
반질반질하고 아무렇지도 않은 얼굴을 하고
까득까득 사과만 깨물어 먹고 있는데요?
놔두면 정말 마음을 좀먹나요?

있잖아요, 선생님.
두 눈이 보름달처럼 빛나는 생경한 생명체에게 잡아먹히는 거랑,
공중에 떠다니는 덩어리에 걸린 목이 또각 부러지는 거랑,
어느 쪽이 더 빠를까요?
전 오래는 살고 싶어서요.

아 그래요, 선생님,
그만 구부러지고
그냥 침이나 맞으라고요.
그래야 할까 봐요.

근데 많이 아픈가요?

불면

어둠이 씁쓸한 날엔
정신이 뾰족하게 털끝을 세운다.

유리 파편이 나를 훑고 굴러가면
긁힌 자리가 아릿하고

생각해보면 언제나
가시를 갖고 있던 나는

종종 깊숙이 파고들어
따끔한 고독을 찾았다.

밖을 향한 가시가
어둠을 찌르고

쓴 피를 흘린 잠이
도망쳐 버릴 때

잊지 못한 기억은
잊고 싶어 조각나고

알알이 떨어지는 기억의
날카로운 표면에 베인 나는

밤과 동떨어진 구석에서
떨어져 간 살점만 부여잡고
파르르 떤다.

보류된 향수

잠들지 못하는 밤이 길어질수록
시간은 나이테를 늘려갑니다.

시간의 화살표는 방향이 하나라지만
기억이 중심에 못을 박아두고 있으니,
마음은 반동을 이용해 오늘도 되돌아갑니다.

영원히 무너지지 않는 벽돌집은 지금 생각해보면
창이 뒷마당으로만 나 있었습니다.

담에는 가시 두른 붉은 장미가 보초를 서고,
뒷마당의 달콤한 사루비아가 나의 꿈을 키웠습니다.

창을 열면 들어오는 달빛과 귀뚜라미 소리가
비밀스런 우정을 속삭이고,

집을 한아름 껴안으면
내가 사랑하는 모든 것들이 마음속에서 뛰어놀았습니다.

이제 더 이상 집 안에는 그 무엇도 남아있지 않지만

나는 자주 도망쳐 오곤 했습니다.

하지만 잠들지 못하는 날에도 여전히
눈치채지 못한 현재가 팔을 맞대고 누워있었습니다.

인간의 기억에는 축복인지 저주인지 헷갈리는 면이 있어서
지나간 것들을 맴돌 동안 시간은 내가 사랑하는 것들을 태우고
멀리 도망가 버립니다.

터널을 지날 동안은 절대 뒤돌아보면 안 된다는 신화가 문득 떠올라
기억이 박아 둔 못을 힘겹게 빼내 주머니에 넣었습니다.

그러자 기억은 주머니 속 한 자루의 못이 되었습니다.

시간은 왜 상대적인가

우리 엄만 정도주의자다.
모든 것은 정해진 때가 있다고 믿는다.

최적의 타이밍에,
하다못해 그 근처라도.

놓쳐서는 안 된다.

마치 매일 새벽 5시 반마다 울리는
엄마의 핸드폰 알람 같다.

나의 시간은 한없이 늘어진다.

나는 그녀의 일생 절반밖에 알지 못한다.
그녀의 곁에서 감히 내가 조급해진다.

늘어진 시간 사이사이로
불안의 모퉁이가 생겨나고,

모퉁이를 돌고 돌아도

잡히지 않는 시간은 미로 같다.

모퉁이는 자꾸만 생겨나고
구부러진 내 시간은 점점 더 늘어나고.

엄마의 시간은
중앙의 활주로를 따라
빠르게 달려가는데,

길을 잃은 내 시간은
모퉁이에 주저앉아 울고만 싶다.

미로 끝에 쌓여있을 선물들을 들고
한달음에 달려갈 내 모습만

저 멀리 시간의 귀퉁이에
투명한 깃발처럼 휘날린다.

이발소

아버지는 흰 머리가 보이자
한 달에 몇 번씩
머리 염색을 하러 가기 시작하셨다.

아버지가 다니는 오래된 이발소는
동화 속 마법 상점처럼
아버지에게 젊음을 되찾아 주었다.

다시 검은 머리가 된 아버지는
젊은 모습으로
몇십 년 동안 현관을 나섰다.

그 긴 시간 동안 나는
아버지가 이발소에서
무엇을 젊음과 교환했는지
알지 못했다.

어느 날 나는 이제 더 이상
아버지의 흰 머리가
이발소의 마법으로는
가려질 수 없단 걸 깨달았다.

아버지의 머리는
하루가 달리
희게 덮여갔고,

그제야 나는
아버지가 교환한 것이
그의 시간임을 깨달았다.

가족들을 짊어진 아버지에게는
늙어갈 시간이 없었기에
까만 머리는 하루 만에
백발이 되어버려야 했던 것이다.

하얀 노신사가 되어
현관을 힘겹게 밀고 들어온
아버지를 보고서야

나는 그의 시간을 먹고
이렇게 무럭무럭 자라났음을
가슴 아프게 깨닫고야 만다.

굽은 그의 어깨에서
무거운 짐을 내려주고

이제는
이발소에 가지 않아도 된다고

그를 다독여주고 싶다.

시간의 한정성

어릴 때부터 시간은 종종
사냥꾼들에게 잡아 먹혔다.

아마도 무관심했기 때문이겠지.

사냥꾼들은 빈틈을 노리고 침입해왔고
나의 시간은 뭉텅이로 갉아 먹혔다.

재밌는 것은 그럴 때마다
날 일깨우는 사람이 있다는 사실이었다.

사냥꾼의 손아귀에 침식해 들어가기 전,
그들은 나에게 경종을 울린다.

정신 차려! 네 시간이잖아!

나는 타인에 의해 휩쓸리고,
타인에 의해 중심을 잡는다.

할아버지.

당신이 발을 씻으며 걱정하던 것이
이것이었을까요.

상관없다 생각했던 것이
얼마나 중요한지 깨달았을 때,
나는 다시금 당신을 떠올립니다.

당신의 시간은 이미 소진되어
찬란한 바람으로 흩어지고 난 뒤라

당신의 붓글씨와
당신의 그림과
당신의 사랑만이
존재의 흔적이 된 뒤로

나의 시간도 허공을 향해 가는데.

나는 존재의 흔적을 남기며 살아오고 있었을까요?

누군가,
떠날 땐 흔적 없이 떠나고 싶다던 말을 기억합니다.

나는 무얼 위해 존재의 흔적을 고민하는지.
당신의 발자취를 좇으며 시간에게 묻습니다.

남아있는 시간의 양을 두 손안에 담아 올리지만
시간은 지금도 손가락 틈 사이로 흘러갑니다.

경계에 서서

경계에 선 너에게
힘들지 않느냐고 물으니
어쩌겠느냐고 대답한다.

마음 편히 한쪽으로 넘어가면 좋으련만
굳이 그렇게 버티고 선다.

경계에 서면 세계는 어찌 그리도 넓은지
너는 홀로 외로이 삶을 횡단한다.

삶을 '선'으로 산다는 것은 무엇일까.
마음이 좁은 계곡처럼 쪼그라든다.

생을 살아간다는 것은 어쩌면
존재와 부재 사이를 횡단하는 것.

나는 고민하다
인생이 곧 경계라는 결론을 낸다.

괴리는 고민할 것이 아니었음을.

마음이 바로 선다.

경계에 선 너에게
나는 더 이상 묻지 않으니

발아래 뾰족이 산 능선이 자라난다.

반

테이블 위 반쯤 채워진 물컵이 놓여있다.
아쉽지도 부담스럽지도 않고 안정적이다.

요즘에는 그 중간 어느 곳으로 자꾸만 파고 들어간다.

태풍의 눈같이 고요한 그곳에서는
한없이 아래로 떨어지고,
나의 행동은 점점 축소된다.

불안은 작아지는데
문득, 무디어진 것은 아닐까 걱정이 된다.

표면적이 넓어질수록 날카롭던 세밀함이 사라지니
안정감은 독은 아닐지 의심해본다.

호기심에 토끼굴에 빠진 앨리스처럼
나는 언제나 지루함에 속고 만다.

넓어지는 평면 위로 누울 곳은 많아지지만
아직 절반밖에 채워지지 않아

손끝 발끝까지 뻗지는 못한다.

다음 장에 대한 망설임의 발로인지도 모른다.

둥근 언덕을 오르다가도
꼭대기에 서면 뚝,
떨어지고 만다.

깎아지른 절벽에서 나는
이상한 나라를 향해
아래로, 아래로.

어느 순간 테이블이 손에 닿지 않다가
순식간에
발톱보다도 작아진다.

도착했나 보다.

내가 요즘 행동하지 못하는 이유는
정 가운데 서서
너무 커져 버린 물컵과,
너무 작아져 버린 물컵 사이를
수없이 왕래하기 때문인지도 모르겠다.

딱 반. 절반이다.

독립

미안한 마음은
투명한 창과 같이 언제나
달라붙어 있습니다.

창밖으로는
내가 놓아버린 것들이 탑승한 자동차가
끊임없이 지나가고,

나를 이해할 수 없는 소란이
비가 되어
끊임없이 유리창을 두드립니다.

그럼에도 삶을
거짓으로 살지 않기로 다짐합니다.

도심의 우기(雨期)는
나를 사랑하는 만큼 길고.

지나가는 것들은
쌓인 빗물에 반사되는 빛만큼 화려해서.

마음을 잃기 십상입니다.

나는,
눈도 감고 귀도 막고
어둠 속에 똬리 튼 죄책감과 마주합니다.

언제부터 그곳에 있었느냐고 묻지만
이미 굳은 마음은 말이 없습니다.

언제나 거대한 돌덩이를 깨뜨리지 못해
되돌아갔습니다.

하지만 오늘은 어쩐지,
조금 다른 하루여서
잊혀진 하늘을 바라봅니다.

때마침 차오르는 달빛이
맑게 나의 방 안으로 들어옵니다.

찾지 못했던 문이 드러납니다.

나는 커다란 바위를 빙글 돌아 걸어가고,
문고리는 아직 아무도 손대지 않아 매끄럽습니다.

투명한 창밖에 있는
이미 과거가 되어버린 모든 것들이
여전히 빗물에 섞여 손짓하지만,

오늘은 그만 남겨두고
건너갑니다.

초승(超乘)

시대의 흐름은
차오르는 달처럼
끊임없이 변하는데

홀로 외딴 섬처럼
관망하는 삶이었습니다.

가면을 쓰고 연극을 하기엔
따라잡기 힘든 속도가 되었기에

섬에는 점점
먹을 것이 동나기 시작합니다.

사람을 움직이는 동기가
먹을 것이라는 사실이 조금
우스운 일이지만,

생명은 생명을 먹어야 살아간다는 잔인한 모순이
우리의 근본 기제니까요.

시대에 탑승한 채
피라미드를 올라야만 한대도

군데군데 놓인
서로를 살리는 보너스 같은 선물이
영혼의 사다리를 지탱합니다.

운전은 거대한 시류가 해 주니
방향을 잃기 십상일 터라,

살짝 걱정되는 것은
삶을 조망하는 능력을 잊진 않을까 하는 점
뿐입니다.

**초승(超乘) : 차에 뛰어오른다는 뜻으로, 시대의 흐름을 탐을 비유적으로 이르는 말. 초승달의 초승(初生▽)과는 동음이의어.

석양

제주의 저녁은 낮보다 길고
흘러가는 구름은 멈출 수가 없어요.

저 멀리 날아가는 새를 따라
가끔은 모든 것을 남긴 채
떠나가고 싶어요.

어릴 때부터 쓸데없는 것에는 시간을 버리지 않는데
삶이 유한하고 인간은 죽음을 피할 수 없다면
빠르게 종료 버튼을 누르고 싶을 때가 있어요.

그러나 삶은 노트북이 아니라서
고통이 버튼을 가로막고 있어요.

먼 곳에서 파도 소리가 들려오면
태어날 때부터 해는 지고,
삶은 마치 석양과도 같아요.

제주의 저녁은 낮보다 길고
나는 쓸데없이 바다에 그림을 그려요.

떠나가는 새들은 그렇게
파도가 되어 되돌아오고.

나는 그 사이 어딘가
매 순간 연기된 밤으로 떨어지는
삶을 살아요,

삶을,
살아요.

틈

겨울의 낮은 이른 저녁 눈을 감고,
의식은 금세 밤의 장막 속으로 파고듭니다.

내가 되려 애쓰는 날들이
무심히 지나가는 시간처럼 펼쳐지면

나는 연속된 기찻길 선상에 서 있고,

여전히 찾지 못한 종착역을 좇는
눈동자가 되었습니다.

나의 존재를 아는 일은
기쁨과 슬픔을 탄생시키는 과정이라

하나였던 모든 것을 양분화하는 것은
언제나 번뇌의 반복입니다.

돌고 도는 고리는
안에서만 유한한데

밤의 장막을 뚫고 나타난 보름달은
살짝 열린 현관문 같습니다.

반사된 빛이 달의 틈새로 새어들어 오듯이
바깥바람이 현관을 통해 불어 들어 옵니다.

문밖에 남은
내 것이 아닌 발자국은

새로운 연결에 대한 기대감처럼, 또는
잃어버린 최초 탄생 이전의 기억처럼

낙인찍혀 있습니다.

나의 세계는 달빛이 내려앉아
조금 더 명료해지고

안에서 서성이던 마음은 용기를 내
남은 발자국 위로 한쪽 발을 겹쳐봅니다.

중심에 닿다

경각(警覺)

잠시 들른 엉뚱한 곳에서도
궤도에 올라타면 편안해져.

우산은 어디다 뒀니?

실없이 웃고 있는 내 앞에
갑작스레 나타난 엄마가 묻는다.

지금껏 비 오는 아침 들고 갔다가
개인 낮에 잃어버린 우산이 몇 개였더라?

매일 혼나고도 고쳐지지 않던 버릇.
어릴 때부터 난
편안함과 만족스러움을 혼동하곤 했지.

보물 찾기를 할 땐
빙글빙글 돌기만 해서는 안 되니까.

망각은
인간의 어쩔 수 없는 오래된 버릇이라

익숙함에 속는 건 한순간이니
남은 거리를 가늠하지 않더라도
감수할 불편은 잃지 않았으면 해.

궤도에서 내려오고,
이제
우산은 찾은 거지?

가설

세계가 거대한 구라면
감각이 분간하는 모든 물질은
부분적 진실이야.

안타깝게도 그 진실이란 것이
구의 표면을 따라 이루어진 어떤 모양 같은 거라
아무리 눈에 보이는 그것들을 모은들
중심으로 갈 수는 없어.

세계의 축소판은 우주거든.
물리적 진실로 둘러싸인 표면에서
엘리베이터를 타고 한 층 내려오면
또 다른 인식의 진실이 존재해.

행성은 자기 궤도에서 내려오지 못하잖아.
두 번째 진실을 알려면
첫 번째 진실의 궤도에서 내려와야 하는데
문제는 엘리베이터를 찾을 수 있냐는 거야.

세계는 원자 속에도 들어있어.

우리는 지금 이곳에 있지만
미래는 어느 곳에서나
존재 가능성의 확률을 가져.

구름 속에서 나타났다 사라지는 전자처럼
우리는 궤도를 불연속적으로 벗어날 수 있지.
그렇다면 엘리베이터는 없더라도
두 번째 진실의 궤도로 떨어질 수 있어.

오늘도 난 밤이 되면
잠에 곯아떨어질 건데,
꿈속에서는 아마도
짧아진 반지름으로 회전을 할 거야.

감와(酣臥)

식물을 바라본다.
그리고 잠에 빠진 동물을 바라본다.

줄기에선 조용히 영양소가 운반된다.
잠에 빠진 동물의 혈관에서도 운반된다.

식물은 어쩌면 잠에 빠진 동물과 같은 게 아닐까 생각한다.

동물이 움직인다.
식물에 없는 무언가가 되돌아왔다.

움직이고, 짖고, 울고, 웃고…….
다양한 모습들은 잠이 들면 모두 어디로 사라지는 것일까?

퇴근 후 지친 몸을 이끌고
애벌레 집 같은 이불 속으로 들어간다.

날개는 접힌다.
시작은 꿈결같이 아득하다.

침대 곁에 놓인 금전수가 동질감을 느끼는지 날 바라본다.

눈이 감기고 시야는 흐려진다.
어둠의 장막 뒤편으로 점점 멀어진다.

나는 어디론가 여행을 시작하고,
온몸에서는 여전히 혈액이 돈다.

매몰

일상이 생기면
불안은 사라지는데
그게 좋은 건지는 모르겠어.

암막 커튼으로 가린 우리의 창은
꿈을 꾸기에는 좋아.

외부와 단절된 반복은
조금 더 깊게 마음의 흙을 파내는
중장비처럼 묵직하지.

깊은 굴속으로 들어가면
동면하는 개구리처럼
오랜 시간을 머무르게 돼.

단단한 돌을 입구에 둘러쌓고
쉽게 무너지지 않는 정방형의 모서리를 만들면
어느샌가 발밑에서 솟아나는 샘물들.

세계를 반영하며 불어나는 수위에

나는 작은 풍경 속을 헤엄쳐.

하지만 이내 익사할 것만 같아.

숨이 필요한 생명체는
일상에서 균열을 찾고
스스로 파낸 굴속에서
자발적으로 빠져나오지.

불안을 동반한 봄날은
동면에서 깨어난 아름다움을 선사하고

난 분명 언젠간 또다시
새로운 반복에 자발적으로 매몰될 거야.

커튼이 젖히고 창이 열렸어.

너의 불안한 봄날 앞에
마르지 않는 샘을 놓아둘게.

변화

우리는 언제나 빛과 어둠의 연속 선상에 탑승해 있어.

해가 뜨고 지는 하루 속에도
빛의 그림자가 조용히 지나가면 금세
모든 사물은 몇 번이고 드러나지.

방금 그늘지기 전
내 앞에 놓여있던 찻잔이
또다시 빛을 받아 나타났는데,
정말 그 찻잔이 맞아?

우리는 조금씩 변해가고 있어.

사실 우리는 아주 오래전 별이 된
과거의 빛을 바라보며 살아가곤 해.
그것이 나의 종착역이 되리라고
착각하는 것 같아.

하지만 알지?
과거는 미래가 될 수 없잖아.

빛은 단지 밝혀줄 뿐이야.
내 바로 눈앞에 찻잔이 놓여있단 사실을 말야.

그들이 자신을 태우고 간 이유는
감지하라는 거지
따라오라는 손짓이 아닌 건 분명해.

난 사실 잘 모르겠어.
어째서 빛을 태워 세계를 밝히는지.
그럼에도 어둠은 왜 사라지지 않는지.

영원히 풀지 못할 숙제가 될지도 몰라.

지금, 또 한 차례의 어둠이 지나가고
찻잔에는 좀 전까진 보지 못한 얼룩이 나타났어.

빛의 탐독

시를 한 편 읽는데
커튼 사이로 들어온 빛이
테이블 위로 사선을 그린다.

눈동자를 옮겨
빛을 읽기 시작한다.

빛이 변하고,
다른 면이 나타나고,
다른 감정을 일깨우고.

그리고 곧이어
태초의 어둠을 상상한다.

의미 없는 밤이 계속되면
나는 테이블 위로 엎드려
함께 천천히 뭉그러지겠지.

조용히 일어나는 화학반응만이
지속적인 변화를 만들고

인식은 기능을 하지 못하는 영수증 되어
쓰레기통 속으로 구겨져 들어가고.

문득 인간은 빛으로 얻은 생명이 아닐까 생각한다.

의미가 존재하지 않는 어둠 속에서
빛은 어디서 부터 온 걸까?

니체 이후 신은 죽었고,
빛의 기원을 밝히는 일은 중단되었지.

행성이 별을 공전하는 이유는 어쩌면
질량 때문이 아니라
빛에 사로잡혀서가 아닐까?

기억해봐, 빛으로 생성되었다는 우리 생명에 대한 가정.

우리는 별에서 태어나,
어둠 속에서 테이블 위로 쏟아져 내리던 물질을 일으켜내.

그래 우리는,
지구를 탐독하러 온 작은 빛의 입자야.

뉴턴의 법칙에 갇혀버린
빛의 파동을 따라가야지.

춤

그러니까, 가끔은
어디서부터 잘못된 걸까
과거를 되짚곤 해.

체육관 한 켠에서
해바라기 씨앗 따먹을 때는 아니야.
물에 떡볶이 씻어 먹을 때도 아니지.

그래.
조금 알 것 같기도 해.

횡으로 종으로 줄지어 서래.
그리고 음악을 틀면
모두 같은 동작을 반복하는 거야.
움직일수록 일부가 되어 갈 거야.

우주의 먼지보다도
작은 존재니까. 그래,
하고 생각하다가도
마음이 뿔처럼 삐져나와.

자유를 위해 군중을 대동하고
공중이 되려다 다시
구속이 반복됨은

대체 무엇이 근원일까?

이상함과 특별함의 경계를 잘 몰라.

그래도 있잖아, 비밀인데,
내 진짜 무대는 사실 우리 집 거실이고

미닫이문 창에는 반사된 몸짓이 잠들어 있어.
발견하게 되면 두 잣대의 판단은 네가 해 줄래?

아! 물론, 잠든 춤에게 큰 의미는 없을 테지만.

프랙탈

삶은
생각할수록
어려운 숙제입니다.

멀리서 보면 답이었던 것이
가까이서 보면 또다시
선택지로 가득 찬
거대한 집합입니다.

질문에 대한 선택이
또 새로운 질문을 만드는
연속된 프랙탈 속에 갇혔습니다.

인간은 언제나
물음의 갈고리밭을
아슬아슬 건너갑니다.

중요한 것은
모든 선택이 결국은
1로 수렴한다는 사실입니다.

불확실성의 바다에
조난되지 않기 위한 지도는
이것뿐입니다.

오래전부터 구전되는,
선택의 터널을 뚫고 가는 이야기들은
절대 녹슬지 않는 황금나침반이 되어
어느 섬에 숨겨져 있습니다.

호킨스의 지도를 얻은 자만이
그것을 발견하고,
제3 자가 본 그의 삶은
거꾸로 세운 삼각 플라스크 같습니다.

하지만 플라스크 안에서는
끊임없는 선택의 확장이 일어나니,

세계의 차원이
우리 의식 밖까지 존재한다는
증거입니다.

인식을 넘어선 사건까지는
우리의 이해 가능 영역이 아니지만
분명한 영향력을 행사합니다.

그렇기에 삶은,
어려울 수밖에 없는 숙제인지도 모르겠습니다.

선망

달을 지팡이 삼아
눈을 감고 걷는 노인
맨발 아래 으스러지는
자갈 같은 광학렌즈들.

사라졌다던 두 번째 달이 뜨면
거대한 빛에 홀리는
실수로 뜨인 눈동자.

눈동자가 아는 것은
나무이고,
이파리이고,
그 선명한 색채이고,
조각나는 세계들.

잃어버린 뒤안길
검은 모래밭.
물고기들이 헤엄치던
검은 바다.
검은 물결.

어쩌면 검은 것도 아닌.

사라져버린 무쇠화살
서해 바다로 돌아가지 않는 두 번째 달.
밝은 만큼 잃어버린 길.

광학렌즈로 길을 찾으려는 시도.
곳곳에서 웅크리는 바위가 된 몸들.

달을 지팡이 삼고
감지 못해 커져만 가는
눈동자의 아이러니.

글쓰기

키패드에 손가락을 올리고
나는 기억을 생성한다.

울리는 형상이
언어의 그물에 걸리면

짧은 기억은
날말로 흐르고

문장으로 각인된 추억이
마음을 중심으로 공전한다.

궤도가 넓어진 지구의 기억은
글을 통해 우주로 건너가고

깊은 바다에서 건져 올린 은빛 물고기가
아직 이름이 붙지 않은 행성이 되면

지구에서 쏘아 올린 문장이
별과 행성으로 빛나고

나는 지금 거대한 서사의
한 글자 위에 서 있어.

시작과 끝이 보이지 않는
지평선 너머를 가늠한다.

선로

나는 빗나간 선로요.
사고는 자꾸만
머리에서 이탈하고

언젠가 도달할지 모를
종착역에 대한
꿈을 꿉니다.

종착역 벤치에 앉은
어떤 소녀가
창조의 이야기를 써 내려가면

나의 승객은
창밖의 신화에
환희로 춤추고

기관사의 감옥을 벗어나
해방된 마음은
새처럼 날아갈 준비를 합니다.

선로를 이탈한 수십 대의 기차가
혼돈의 풀밭 위로
나뒹굴고 있지만

안타깝게도 손이 없는 나는
실타래처럼 꼬여버린 그것을 그저
바라볼 뿐입니다.

체념의 장막은
모든 걸 덮기 충분하기에
침잠하는 마음은 사실 편안하지만

어쩐지 편안함이 불편한 나는
깎이고 찔릴 준비를 하며
목수를 기다립니다.

오늘도 나는
보이지 않는 종착역을 좇는
눈동자가 되어

여전히, 빗나간 선로를 걸어갑니다.

유토피아

만난 적 없이 그리워하는
오래된 경험처럼
날은 익숙한 자세로 나를 향해 걸어오고

일부러 스친 어깨에 맞닿은 오늘이
드디어 나를 돌아볼 때

끊임없이 이어져오던 꿈들은
현실의 오선지에 스며들어
우리는 입을 벌린 어둠으로부터 달아나

손잡은 오늘이 빛을 향해 내달리면
즐거운 놀이가 된 도피가
잠든 선율을 부활시켜

끊임없이 춤추던 이야기에
되살아난 하루는
나비처럼 날아가고

잠에서 깨면 어느새

나를 붙잡은 술래는
등에 달라붙은 어둠이 되어.

내가 날려 보낸 메시지들이
풀밭에서 빙글빙글 춤추는 꿈을 꾸게 하니
나는 또다시,

익숙한 자세로 걸어올 날들을
오래된 경험처럼
만난 적 없이 그리워한다.

초저녁 열차

올라탄 기차는 이미 만석입니다.

출입문 칸에 서 있어도
온기는 전해집니다.

함께란 생각에 문득
평온한 마음이 들다가도

내릴 역은 제 각기라는 사실에
못내
아쉬워집니다.

승객들이 우연처럼
종횡으로 가로지른 교차점에서

만나고 헤어집니다.

모였다 흩어짐을 반복하는 인연에도
내 배낭을 멜 이는

오직
나 하나뿐입니다.

삶이 결국은 혼자라지만
그래도 본질적으로는 모두가

함께,
홀로입니다.

서쪽 지평에 걸린 해는
창문으로 길게 들어와

기차 안 모든 승객을
빠짐없이 물들입니다.

그러자 동쪽 지평에 오른 초승달은
깊은 생각에 잠겨

빛의 전체성과
드러난 개인의 독립성을 가늠해보려

살며시
눈을 감습니다.

모순

하루가 물음에 엇나간 답으로 뒤엉킬 때
뒷짐 진 어둠이 다가와 장막을 드리우면
벗어날 이유를 찾지 못한 나는 중간 지대에 머무릅니다.

밤도 낮도 아닌 경계는
조언자가 없는 독방이라
나의 질문은 구간을 반복합니다.

불량품만 찍어내는 오래된 공장에는
쓸모를 다하지 못하는 인식이
낡은 톱니바퀴를 관성으로 굴리고

나의 어둠은
수요 없는 재고가 넘쳐나는
파산한
기억의 창고입니다.

폐쇄된 공장에서는
넘쳐나는 공허의 그림자가 먼지처럼 뒹굴고
비인위적 폐업 상태가 오랫동안 유지됩니다.

의도가 사라진 지점에서 힘을 얻은 시간이
어느 순간 무의미를 소각하기 시작하면
낡은 공장은 허물어지고

나는 고대 샤먼이 되어
신(身)을 제물 삼아
자연의 의지에 의탁합니다.

거대한 질서에 합류한 채
한 톨 모래가 되어
맨틀 속으로 깊숙이 가라앉아

지구의 중심부에 도달하면
죽은 자들을 부활시킨다는
오래된 생명의 온기가 퍼지니

나는 대지가 되어
소각된 무의미를 거름 삼아 새로운 꽃을 피워낼
다가올 고요한 계절을 준비합니다.

실존

가라앉은 밤은 맑게
깊어갑니다.

창이 열린 마음으로
청량한 어둠이 흘러들어 오면

나무는 밤을 연결하는 사다리가 되어
달의 열매를 따다 가지 끝에 가만히 올려둔 채
상념에 잠깁니다.

신은 반사되는 빛과 같아서
나비처럼 잠시 스쳐 지나가고

본질은 공허한 열매 안에
고이 잠들어 있습니다.

삶은 빛 없이도 흘러가는데
본질을 잊은 믿음은
존재를 잊은 낱말이 되어
공중으로 흩어지고

나는 달을 탐구하는 마음으로
어둠을 탐구합니다.

변화를 반복하는 온 세계가

용광로같이 느껴질 때,

끊임없이 재생하는 자연 속으로 숨어 들어가면
창조의 불꽃이 휘몰아치지만

태초의 생명은 빛도 불도 아닌
지질막이 만든 작은 텅 빈 공간에서 시작되니

우리는 지구보다도
태양보다도
달을 닮은 존재입니다.

속이 빈 열매 안으로 스민 대지의 온기가
언제 들어왔는지 모를 씨앗을 살찌우고

나비처럼 날아온 빛이
나를 키워냅니다.

가만히 창문을 열어두면 오고 가는
내가 아닌 것들이 남기고 간 선물이
나를 구성하고

나무에 걸터앉아 어둠을 응시하듯
삶은 잠시 떠올라
짙게 깔린 소실을 관조합니다.

선택은 어둠 속에서 비밀스럽게
막을 통해 이루어지니

선택의 교집합이 된 열매는
고유한 빛을 내며
소실의 바다를 유유히 헤엄칩니다.